Daniel e seus amigos

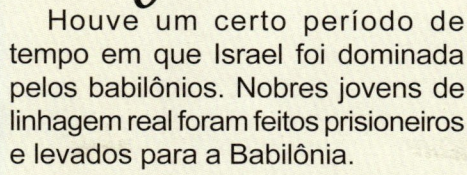

Houve um certo período de tempo em que Israel foi dominada pelos babilônios. Nobres jovens de linhagem real foram feitos prisioneiros e levados para a Babilônia.

Entre eles, estavam Daniel, Hananias, Mizael e Azarias. Eles seriam instruídos na língua e na ciência dos babilônios para servirem no palácio do rei. Deveriam se alimentar de tudo que era servido na mesa real e beberem vinho. Depois de três anos, seriam apresentados ao rei para serem avaliados. Daniel e seus amigos pediram que fossem servidos somente legumes e água para eles.

Passados os três anos, Daniel, Hananias, Mizael e Azarias eram os jovens mais saudáveis e de bela aparência de todos que lá estavam. O rei os escolheu para seu serviço particular.

Deus deu aos jovens conhecimento, inteligência em toda a cultura e sabedoria. Para Daniel, concedeu ainda a capacidade de interpretar sonhos.

Daniel e seus amigos, apesar de estarem em uma nação que adorava vários deuses, permaneciam fiéis a Deus. Os jovens Hananias, Mizael e Azarias foram provados em sua fé.

Certa ocasião, o rei Nabucodonosor mandou fazer uma estátua de ouro e levou-a para um território chamado Dura.

Ordenou que, ao soar da trombeta, todos se ajoelhassem e adorassem a estátua. Todos se ajoelharam, menos os três jovens. O rei então perguntou:

— Não vão adorar a minha estátua e nem meus deuses?

Os jovens responderam:

— Só adoramos ao nosso Deus.

Furioso, o rei ordenou que eles fossem amarrados e lançados em uma fornalha com fogo aquecido sete vezes mais do que o costumeiro. E assim foi feito. Porém, quando o rei aproximou-se para ver, falou espantado:

— Não foram lançados três jovens amarrados? Como é que eu vejo quatro jovens passeando entre as chamas e um deles parece filho dos deuses?

Então, o rei falou para os jovens:

— Jovens, podem sair. Agora sei que o Deus que vocês servem é poderoso! - Eles saíram e o fogo não havia tocados em suas vestes, nem seus cabelos estavam chamuscados.

Quanto a Daniel, o rei o colocou como governador. Muitos homens no reino procuravam meios para derrubar Daniel. Como Daniel era um homem justo, honesto e sincero, tentaram contra ele usando a sua fé.

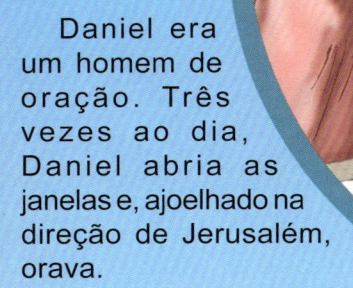

Daniel era um homem de oração. Três vezes ao dia, Daniel abria as janelas e, ajoelhado na direção de Jerusalém, orava.

Os inimigos de Daniel convenceram o rei a assinar um decreto no qual ordenava que durante trinta dias ninguém poderia fazer qualquer pedido a nenhum homem ou deus senão ao rei. Contrariando tal decreto, Daniel continuava a orar a Deus.

Foram, então, ao rei denunciar Daniel. O castigo era fatal: a pessoa que desobedecesse ao decreto seria lançada na cova dos leões. Os soldados do rei trouxeram Daniel e o lançaram na cova dos leões e colocaram uma pedra na entrada da cova.

Durante aquela noite, o rei não comeu e nem dormiu. Ele estimava Daniel. Quando amanheceu, o rei foi até a cova e chamou:

— Daniel, você ainda está vivo?

De dentro da cova, Daniel respondeu:

— Sim, meu rei, o Senhor Deus enviou um anjo que fechou a boca dos leões. — Assim, de maneira maravilhosa, Deus livrou Daniel do perigo, honrando a sua fé.

Jonas

Vivia em Israel um profeta chamado Jonas. Um certo dia, o Senhor falou para Jonas:
— Levante-se e vá à cidade de Nínive, fale a eles que se arrependam de suas maldades. — Porém, Jonas resolveu desobedecer a Deus.

Foi até a cidade de Jope e ali achou um navio que seguia para Társis. Embarcou nele para fugir de Deus.

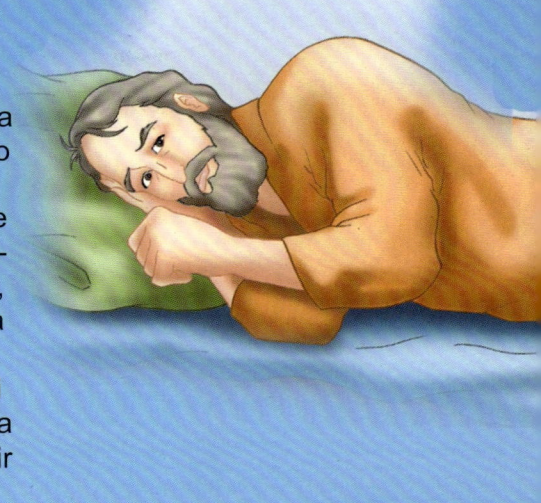

O Senhor, então, enviou ao mar uma forte tempestade e o navio estava quase afundando. Os marinheiros, temendo por suas vidas, começaram a orar e a lançar ao mar tudo que podiam para aliviar o peso do navio.

Em um certo momento, o mestre do navio desceu até o porão, onde Jonas dormia um profundo sono, alheio a tudo.

Acordou Jonas com o seguinte pedido:

— Acorde! Estamos em perigo, comece a orar, quem sabe assim o seu Deus se lembre de nós e salve a todos.

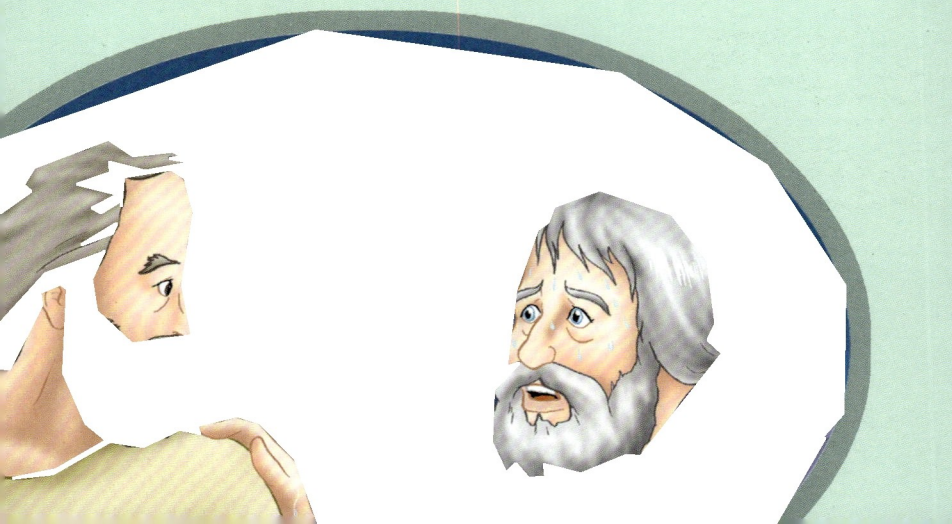

Apavorados, perguntavam entre si porque estava acontecendo aquela tempestade.

— Eu sou o culpado, disse Jonas. — Joguem-me ao mar e ele se aquietará.

Então, levantaram Jonas e o lançaram ao mar. No mesmo instante, a tempestade cessou e o mar se acalmou. Deus enviou um grande peixe, que engoliu Jonas.

Jonas permaneceu três dias e três noites nas entranhas do peixe e orou ao Senhor de dentro do peixe. Arrependido, prometeu a Deus que se fosse libertado cumpriria com sua missão.

Deus ouviu a oração e ordenou ao grande peixe que devolvesse Jonas em terra. Novamente, Deus falou com Jonas:

— Vá a Nínive e fale ao povo que se arrependa de suas maldades.

Desta vez, Jonas levantou-se apressadamente e seguiu para Nínive para realizar o que Deus havia ordenado.

Desde a entrada da cidade, Jonas pregava a todos que Deus queria que mudassem seu comportamento, que se arrependessem de seus pecados, senão seriam castigados.

O rei ouviu acerca da palavra do profeta, levantou-se do trono, tirou suas vestes reais e cobriu-se de saco em sinal de sacrifício e arrependimento e, junto com a cidade, pediu o perdão de Deus.

Deus ouviu o clamor da cidade e os perdoou. Quanto a Jonas, o profeta aprendeu o caminho da obediência a Deus.